Pour Moucky et Daddy
Q.G.

© 2003-2001 Mijade
16-18, rue de l'Ouvrage,
B-5000 Namur

© 2001 Quentin Gréban

D/2003/3712/04
ISBN 2-87142-353-9
Photogravure HTP
Imprimé en Belgique

Quentin Gréban

# Suzette

Mijade

Suzette est une toute petite coccinelle,
avec seulement trois taches d'encre sur le dos.
Elle a encore beaucoup de choses à apprendre,
mais elle sait déjà ce qu'elle va faire plus tard :

elle sera dessinatrice !

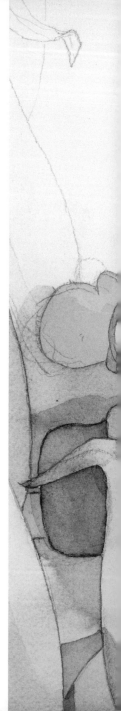

Suzette aime tout dessiner :
un ciel d'orage,
une goutte d'eau,
et même les humains
quand elle en rencontre.

Un matin, Suzette est assise
bien sagement sur sa pâquerette
quand elle voit passer une jolie sauterelle.
Elle se met tout de suite à la dessiner.

Mais ce n'est pas facile,
de dessiner une sauterelle !
Ça bouge tout le temps !
Déjà, celle-ci s'éloigne à grands bonds.

Suzette se lance à sa poursuite.

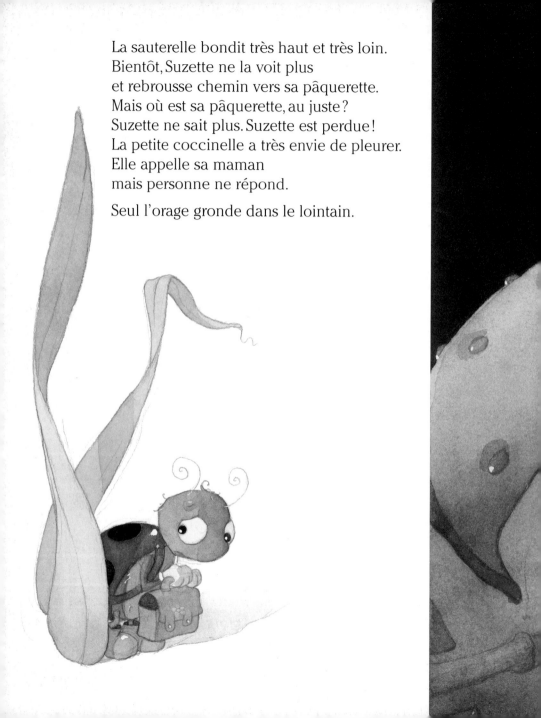

La sauterelle bondit très haut et très loin.
Bientôt, Suzette ne la voit plus
et rebrousse chemin vers sa pâquerette.
Mais où est sa pâquerette, au juste ?
Suzette ne sait plus. Suzette est perdue !
La petite coccinelle a très envie de pleurer.
Elle appelle sa maman
mais personne ne répond.

Seul l'orage gronde dans le lointain.

Les premières gouttes
commencent à tomber.
Tremblante, Suzette court s'abriter.
Elle est si fatiguée!
«Si seulement tout cela n'était
qu'un mauvais rêve!»
se dit-elle en fermant les yeux.
Et elle s'endort, en espérant
qu'elle sera bientôt réveillée
par les bisous de sa maman.

Le lendemain, des fourmis découvrent Suzette
dans sa drôle de cachette.
A voir la petite coccinelle, l'air pâle
et les antennes toutes bouclées par la rosée,
il est évident que quelque chose ne va pas.

«Que se passe-t-il, petite?»
demande l'une d'elles.
«Que fais-tu là, toute seule?»

«Je suis perdue»,
sanglote Suzette,
«et je cherche
ma maman!»

«Comment est-elle, ta maman?»
demande la fourmi, qui est gentille
mais pas très intelligente.

«Eh bien elle est tout à fait
comme moi,
mais elle a cinq taches
au lieu de trois, et elle fait
très bien les bisous!»

Pour que la fourmi comprenne bien,
Suzette dessine sa maman,
avec ses cinq taches noires
et le petit foulard
qu'elle porte habituellement.

«C'est une bien jolie maman
que tu as là», dit la fourmi,
«mais je ne l'ai vue nulle part.»

Suzette est déçue, mais pas trop.
Elle finira bien par rencontrer quelqu'un
qui a vu sa maman!
Justement, voilà un bourdon occupé à butiner.

«Pardon, Monsieur», dit-elle.
«Je cherche ma maman.
Est-ce que tu l'as vue?»
Et elle montre son dessin au bourdon.

«J'aime beaucoup ton dessin»,
dit celui-ci en bourdonnant de plus belle,
«mais je n'ai pas vu ta maman.»

Suzette se dirige vers la mare.
Une libellule vole au-dessus de l'eau
en agitant ses ailes transparentes.
« Pardon, Madame », dit-elle.
« Je cherche ma maman.
Est-ce que tu l'as vue ? »

La libellule braque sur le dessin
ses grands yeux à facettes.
« Je te félicite pour ton dessin », dit-elle,
« mais je n'ai pas vu ta maman. »

A quelques pas de là, Suzette reconnaît une grenouille.
Maman dit que les grenouilles
adorent les petites coccinelles… toutes crues!
Enfin, si elle veut lui montrer son dessin,
il va bien falloir qu'elle s'approche un peu!

« Pardon, Madame », dit-elle.
« Je cherche ma maman.
Est-ce que tu l'as vue ? »

La grenouille dirige vers le dessin
de gros yeux globuleux.
«Ton dessin est magnifique», dit-elle.
«Mais je n'ai pas vu ta maman.»
Et elle plonge dans la mare.

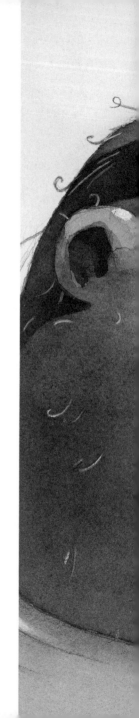

Soudain, une loutre sort la tête de l'eau.
«Pardon, Madame», dit Suzette.
«Je cherche ma maman. Est-ce que tu l'as vue?»
La loutre ouvre grand ses yeux bruns.
«C'est un merveilleux dessin», dit-elle,
«mais malheureusement je n'ai pas vu ta maman.»

Découragée, Suzette se laisse tomber
au pied d'un champignon.
Ah, si seulement elle était restée
sur sa pâquerette !
Elle regarde son dessin, et elle trouve
qu'il n'est pas réussi du tout.

Il est même raté !

Voilà pourquoi personne
n'a reconnu sa maman !
Suzette est tellement en colère
qu'elle prend le dessin par les coins
et qu'elle le déchire en deux,
puis encore en deux.

«Oh non! Tu n'as pas déchiré ton beau dessin,
quand même!» entend Suzette derrière elle.

Elle se retourne. La loutre arrive en courant,
avec la fourmi, le bourdon, la libellule,
la grenouille et…

la maman de Suzette,
que ses nouveaux amis
ont fini par trouver!

Suzette saute au cou de sa maman
et la serre très fort dans ses bras.

Finalement, son dessin n'était pas si mal que ça !
Maman est tout à fait comme Suzette l'a dessinée :
elle a cinq taches d'encre sur le dos,
un petit foulard sur la tête,
et surtout, elle fait très bien les bisous !